S I G N É

DANY

DANY · VAN HAMME

L E L O M B A R D

SUR LES PAS DE VOS HÉROS

BIBLIOGRAPHIE DANY

"ALICE AUX PAYS DES MERVEILLES" AVEC GREG, LE LOMBARD

OLIVIER RAMEAU AVEC GREG, LE LOMBARD

"JO NUAGE ET KAY Mc CLOUD" AVEC GREG, DARGAUD

ARLEQUIN AVEC VAN HAMME, LE LOMBARD, RÉÉD. P & T PRODUCTIONS

BERNARD PRINCE AVEC GREG, LE LOMBARD

LE PIÈGE AUX 100.000 DARDS

ORAGE SUR LE CORMORAN

EQUATOR ALPEN PUBLISHERS

ÇA VOUS INTÉRESSE? P & T PRODUCTIONS

ON VA PLUS LOIN ? P & T PRODUCTIONS

SIGNE "HISTOIRE SANS HÉROS", AVEC VAN HAMME, LE LOMBARD

BIBLIOGRAPHIE VAN HAMME

AVEC PAUL CUVELIER

SÉRIE CORENTIN

LE PRINCE DES SABLES LE LOMBARD

LE ROYAUME DES EAUX NOIRES LE LOMBARD

EPOXY ED. DU TERRAIN VAGUE, RÉÉD. HORUS, RÉÉD. MARCUS, RÉÉD. RIJPERMAN

AVEC GÉRI (HENRI GHION)

SÉRIE M. MAGELLAN LE LOMBARD

AVEC ANDRÉ CHÉRET

SÉRIE DOMINO LE LOMBARD

AVEC ANDRÉ BEAUTEMPS

SÉRIE MICHAEL LOGAN LE LOMBARD, RÉÉD. THAULEZ, RÉÉD. ED. DU MIROIR

AVEC DANY

SÉRIE ARLEQUIN LE LOMBARD, RÉÉD. P & T PRODUCTIONS

AVEC GRZEGORZ ROSINSKI

SÉRIE THORGAL LE LOMBARD

AVEC GRZEGORZ ROSINSKI

LE GRAND POUVOIR DU CHNINKEL ED. CASTERMAN

AVEC WILLIAM VANCE

SÉRIE XIII ED. DARGAUD

AVEC GRIFFO

S.O.S BONHEUR ED. DUPUIS

AVEC PHILIPPE FRANCQ

SÉRIE LARGO WINCH ED. DUPUIS

AVEC FRANCIS VALLES

SÉRIE LES MAÎTRES DE L'ORGE ED. GLÉNAT

MAQUETTE DE LA COLLECTION:
COSEY

D. 1993.0086.2918
ISBN 2.8036.1079.5
Dépôt légal: Décembre 1993

HISTOIRE
SANS HEROS

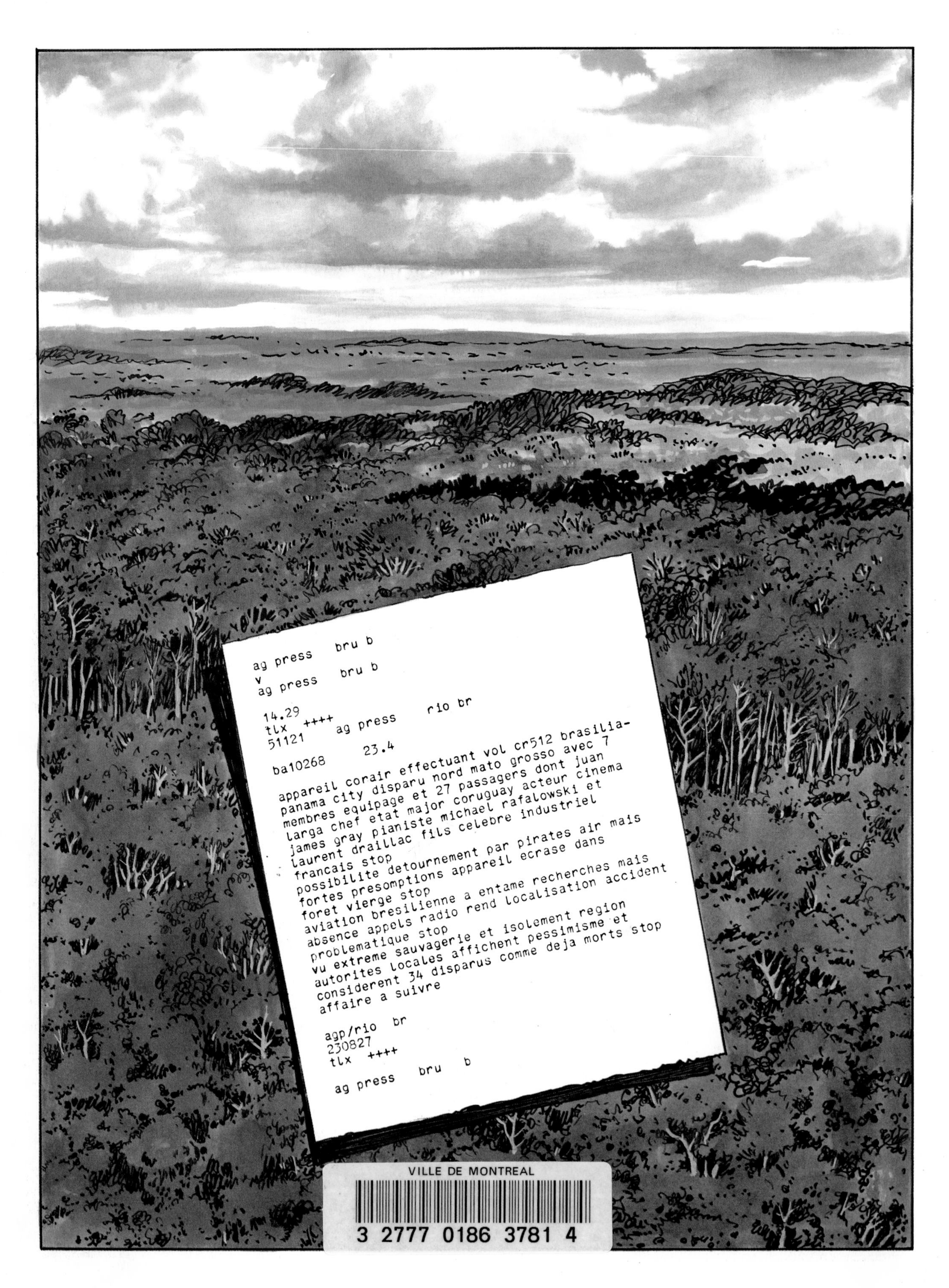
ag press bru b
v
ag press bru b

14.29
tlx ++++
51121 ag press rio br

ba10268 23.4

appareil corair effectuant vol cr512 brasilia-
panama city disparu nord mato grosso avec 7
membres equipage et 27 passagers dont juan
larga chef etat major coruguay acteur cinema
james gray pianiste michael rafalowski et
laurent draillac fils celebre industriel
francais stop
possibilite detournement par pirates air mais
fortes presomptions appareil ecrase dans
foret vierge stop
aviation bresilienne a entame recherches mais
absence appels radio rend localisation accident
problematique stop
vu extreme sauvagerie et isolement region
autorites locales affichent pessimisme et
considerent 34 disparus comme deja morts stop
affaire a suivre

agp/rio br
230827
tlx ++++

ag press bru b

LE 3e JOUR ...

JOURNAL DE BORD DU VOL CORAIR CR 512 BRASILIA-PANAMA CITY. MARDI 23 AVRIL 1974. DANS LA NUIT DU SAMEDI 20 AU DIMANCHE 21, NOTRE APPAREIL S'EST ÉCRASÉ DANS LA FORÊT VIERGE.

NOUS IGNORONS ÉGALEMENT SI UN S.O.S. A PU ÊTRE LANCÉ. LA RADIO EST DÉTRUITE. PERSONNE ICI N'EST CAPABLE DE JUGER SI ELLE EST RÉPARABLE OU NON.

...OUTRE L'ÉQUIPAGE, 12 DES 27 PASSAGERS ONT ÉTÉ TUÉS SUR LE COUP OU SONT MORTS DES SUITES DE LEURS BLESSURES. NOUS LES AVONS ENTERRÉS DANS LA FORÊT. PUISSE DIEU LES ACCUEILLIR!...

...LES 15 PASSAGERS SURVIVANTS SE TROUVAIENT PRESQUE TOUS À L'ARRIÈRE DE L'APPAREIL, MOINS ENDOMMAGÉ DANS L'ACCIDENT. ILS N'ONT QUE DES BLESSURES SUPERFICIELLES...

...SAUF MADAME VAN DER MEER, QUI EST PROBABLEMENT MOURANTE. ELLE EST SOIGNÉE PAR ANTONIO CABRAL, UN VÉTÉRINAIRE BRÉSILIEN, LE SEUL D'ENTRE NOUS À AVOIR DES CONNAISSANCES MÉDICALES.
SON MARI, FRANZ VAN DER MEER, EST À SON CHEVET. TOUS DEUX SONT DE NATIONALITÉ HOLLANDAISE.

LES AUTRES SURVIVANTS SONT : LE GÉNÉRAL JUAN LARGA, CHEF D'ÉTAT-MAJOR DU CORUGUAY, ET SON AIDE DE CAMP, LE LIEUTENANT ÉMILIO BÉNITEZ...

... ROBERT T. WILLEMSEN, TONY S. BORNSTEIN ET ELMO W. JONES, TROIS HOMMES D'AFFAIRES AMÉRICAINS...

... JAMES GRAY, LE CÉLÈBRE ACTEUR D'HOLLYWOOD ; MARIA DOS SANTOS AZAR, PROFESSEUR DE MATHÉMATIQUES À L'UNIVERSITÉ DE PANAMA CITY...

... LAURENT DRAILLAC, DOUZE ANS, FILS D'UN GROS INDUSTRIEL FRANÇAIS, ET SA GOUVERNANTE, NANCY TAYLOR, DE NATIONALITÉ BRITANNIQUE...

... TAN SEK TOH, HOMME D'AFFAIRES DE SINGAPOUR...

... MICHAËL G. RAFALOWSKI, UN PIANISTE AMÉRICAIN. SA FEMME QUI L'ACCOMPAGNAIT, A ÉTÉ TUÉE DANS L'ACCIDENT...

... ET WILLIAM D. TIMMER, DÉLÉGUÉ DES NATIONS UNIES AU CORUGUAY.

NOUS AVONS INSTALLÉ UN CAMP DE FORTUNE. LA PLUS GROSSE PARTIE DU FRET DE L'APPAREIL CONSISTE EN UN LOT DE TOILE DONT NOUS POURRONS ÉVENTUELLEMENT FAIRE DES TENTES. NOUS SOMMES LARGEMENT POURVUS EN VÊTEMENTS ET EN MÉDICAMENTS.

EN NOUS RATIONNANT UN PEU, NOUS AVONS ASSEZ DE VIVRES POUR DIX JOURS. MAIS LE POINT CRUCIAL, C'EST L'EAU! NOUS N'AVONS PAS PU DÉCOUVRIR UN SEUL POINT D'EAU AUX ALENTOURS DU CAMP.

NOUS N'AVONS DONC QUE LES RÉSERVES DE L'APPAREIL EN EAU POTABLE ET EN EAU MINÉRALE POUR TENIR. MAIS NOUS AVONS BON ESPOIR D'ÊTRE RETROUVÉS AVANT QUE LA SITUATION NE DEVIENNE CRITIQUE. QUE DIEU NOUS PROTÈGE !

ALORS ?..
JE N'AI PAS PU LA SAUVER. PENDANT 30 ANS MA SEULE CLIENTÈLE ÉTAIT DU BÉTAIL, VOUS SAVEZ...
VOUS AVEZ FAIT DE VOTRE MIEUX, CABRAL.
CA
R
BOEING
707

TENEZ DOC ! POUR VOUS REMETTRE, BUVEZ UN COUP À LA MÉMOIRE DE LA DÉFUNTE.
?!

HEUREUSEMENT QUE NOTRE VOL ÉTAIT INTERNATIONAL. L'ENFER EN "DUTY FREE" ÇA RESSEMBLE PRESQUE AU PARADIS !
SI QUELQUE CHOSE DOIT VOUS ÉTOUFFER, JONES, JE DONNE LE WHISKY GAGNANT. MAIS SÛREMENT PAS LA DÉLICATESSE...

DITES DONC, MA PETITE DAME... Y RESTER POUR Y RESTER, AUTANT QUE CE SOIT JOYEUSEMENT, NON ?
FIGUREZ-VOUS QUE JE N'AI PRÉCISÉMENT PAS L'INTENTION D'Y RESTER, COMME VOUS DITES. NI "JOYEUSEMENT" NI AUTREMENT, ESPÈCE D'IVROGNE !

IVROGNE! PFFFT! ET ALORS? ... AU POINT OÙ NOUS EN SOMMES...
IL A DU CARACTÈRE, HEIN, NOTRE PETIT "PROF DE MATHS"?

OUI, ET ELLE A RAISON, IL FAUT FAIRE QUELQUE CHOSE!
QUE VOULEZ-VOUS FAIRE? ON VA FINIR PAR NOUS RETROUVER, NON?

NE VOUS FAITES PAS TROP D'ILLUSIONS, TONY. QU'EN PENSEZ-VOUS, CABRAL?
IL Y A PEU D'ESPOIR, EN EFFET...

ON RETROUVE RAREMENT LES ÉGARÉS DE LA FORÊT VIERGE. NOUS SOMMES QUELQUE PART DANS LE MATO GROSSO, ENFERMÉS DANS DES MILLIONS D'HECTARES DE JUNGLE... NOTRE MEILLEURE CHANCE SERAIT D'ENTRER EN CONTACT AVEC DES INDIENS.

DES INDIENS?! MAIS EN ADMETTANT QU'ON EN TROUVE, ILS NE RISQUENT PAS DE NOUS TUER?
VOUS LISEZ TROP DE ROMANS, MONSIEUR GRAY. TANT QU'ON RESPECTE LEURS COUTUMES, LA MAJORITÉ D'ENTRE EUX SONT PLUS PACIFIQUES QUE BIEN DES HOMMES DITS CIVILISÉS...

C'EST DONC DANS CETTE DIRECTION QUE NOUS DEVONS TENTER QUELQUE CHOSE.

C'EST ÇA! VOUS VOULEZ SANS DOUTE VOUS ENFONCER LÀ-DEDANS, DROIT DEVANT VOUS, EN APPELANT "PETITS, PETITS, PETITS..."?

SANS ARMES, SANS BOUSSOLE, SANS ÉQUIPEMENT?!? BOB, VOUS ÊTES COMPLÈTEMENT FOU!

PEUT-ÊTRE... MAIS JE PRÉFÈRE CLAQUER EN TENTANT QUELQUE CHOSE POUR SAUVER MA PEAU QUE DE POURRIR LENTEMENT ASSIS SUR MON DERRIÈRE COMME JONES!

MESSIEURS, JE VOUS EN PRIE, CALMEZ-VOUS... CE SOIR, UNE FOIS DE PLUS UNE TÂCHE PÉNIBLE VOUS ATTEND.

JE VOUS REMERCIE, MESSIEURS, JE VOUS REMERCIE INFINIMENT.

PAUVRE VIEUX !
OUI, UN MÉCHANT COUP DUR, POUR LUI...

LE REPAS FUT MORNE. PERSONNE N'OSAIT PARLER.
CES HOMMES, CES FEMMES, BRUTALEMENT PLONGÉS DANS UN UNIVERS HOSTILE, SENTAIENT LES OMBRES DE LA MORT ET DE LA PEUR SE GLISSER PARMI EUX...

LA NUIT EST TOMBÉE. IL... IL FAUDRAIT ALLER CHERCHER M. VAN DER MEER...
LAISSEZ-LE !

LES CHAÎNES DE L'HOMME SE BRISENT DANS LA DOULEUR. IL SAIT CE QU'IL DOIT FAIRE...

ERIKA, MA CHÉRIE... NOUS RÊVIONS DEPUIS SI LONGTEMPS DE CE VOYAGE AUTOUR DU MONDE. TU TE SOUVIENS ?
ERIKA VAN DER MEER

PETER ET JAN SONT GRANDS, ILS SONT MARIÉS, TU M'AS SI BIEN AIDÉ À EN FAIRE DES HOMMES, ILS N'ONT PLUS BESOIN DE NOUS, MAINTENANT...
MAIS MOI, ERIKA, MOI, J'AI BESOIN DE TOI. J'AI BESOIN DE TA DOUCEUR, DE TON SOURIRE... JE NE VEUX PAS TE PERDRE... JE T'AIME, ERIKA.
ERIKA VAN DER MEER
SENOR WILLEMSEN, VITE, RÉVEILLEZ-VOUS...
QUOI ? QU'Y A-T-IL, ELENA ?...
LE VIEIL HOLLANDAIS ! ... IL A DISPARU !
QU'EST-CE QUE C'EST QUE CETTE HISTOIRE ?
VAN DER MEER S'EST ENFONCÉ DANS LA FORÊT PENDANT LA NUIT. POUR LUI, C'EST LA MORT CERTAINE.
QU'EST-CE QU'ON FAIT ? ON ESSAIE DE LE RATTRAPER ?
NOUS N'AVONS PAS UNE CHANCE SUR CENT DE LE RETROUVER, ET APRÈS TOUT, TAN SEK TOH A RAISON : CHACUN EST LIBRE DE CHOISIR SON DESTIN...
MAIS JE NE VEUX PAS MOURIR, MOI !...
M. RAFALOWSKI ! UN PEU DE DIGNITÉ, JE VOUS PRIE.
MAIS VOUS NE COMPRENEZ DONC PAS, ESPÈCE DE VIEILLE BIQUE ?!
NOUS ALLONS TOUS Y PASSER ! LES UNS APRÈS LES AUTRES. TOUS, VOUS M'ENTENDEZ ?!? TOUS !
TOUS !
TOUS !

LE 5eJOUR...

UN PUMA, SÛREMENT !...
IL A DÛ ÉTRANGLER JONES DANS SON SOMMEIL ET L'ENTRAÎNER SANS BRUIT.
PAUVRE TYPE ! C'EST AFFREUX ! NE... NE FAUDRAIT-IL PAS ESSAYER DE LE RETROUVER ?

POUR QUOI FAIRE ?... IL NE DOIT DÉJÀ PLUS RESTER GRAND-CHOSE DE LUI...
ET D'AILLEURS, CE SAC À WHISKY N'EST PAS UNE TRÈS GRANDE PERTE...

VOUS, VOUS COMMENCEZ À SÉRIEUSEMENT M'ÉNERVER, RAFALOWSKI !! PARCE QUE SI ON SE MET À FAIRE DES CLASSEMENTS DE VALEURS, VOUS NE RISQUEZ PAS LA MÉDAILLE D'OR !
EH BIEN ALLEZ-Y DONC, SI VOUS ÊTES SI MALIN ! A... ALLEZ LE CHERCHER VOTRE JONES... C'EST TOUT DROIT !...

C'EST EXACTEMENT CE QUE JE COMPTE FAIRE, RAFALOWSKI... ET PAS PLUS TARD QUE CE MATIN !

ELENA, TROUVEZ-MOI UN SAC ET METTEZ-Y TROIS JOURS DE VIVRES.
BOB, MON VIEUX, NE FAITES PAS ÇA ! TIMMER A RAISON : JONES EST SÛREMENT MORT !...
JE M'EN DOUTE UN PEU, QU'IL EST MORT ! ÉCOUTEZ-MOI BIEN, GRAY... NOUS NE SOMMES PEUT-ÊTRE QU'À QUELQUES KILOMÈTRES D'UN VILLAGE, D'UN CAMP DE SERINGUEROS, D'UNE RIVIÈRE, DE N'IMPORTE QUOI... IL FAUT QUE NOUS NOUS EN SORTIONS !
MAIS OÙ, BOB, OÙ ?...
CA

COMMENT VOULEZ-VOUS QUE JE LE SACHE, NOM D'UN CHIEN ! JE VEUX TENTER LE COUP, C'EST TOUT.
C'EST DU SUICIDE, WILLEMSEN, LES SECOURS...

LES SECOURS ?! HA !... ÇA FAIT CINQ JOURS QU'ON LES ATTEND ! EN ADMETTANT QUE DES RECHERCHES AIENT ÉTÉ ENTREPRISES. NON, MARIA, JE PRÉFÈRE RISQUER LA FORÊT VIERGE ! JE N'EN PEUX PLUS D'ATTENDRE...

BIEN SÛR, JE PRÉFÉRERAIS QUE L'UN D'ENTRE VOUS M'ACCOMPAGNE, MAIS JE PRÉSUME QUE PERSONNE N'EST VOLONTAIRE... HEUREUSEMENT, CÔTÉ ARMES, NOUS AVONS LES COLTS DU GÉNÉRAL LARGA ET DU LIEUTENANT BENITEZ.

VOICI CE QUE JE PROPOSE : JE PRENDS UN COLT AVEC MOI, AVEC LE SECOND, VOUS ORGANISEZ DES TOURS DE GARDE POUR VOUS GARDER DES PUMAS...
NON !

VOUS VOULEZ DIRE QUE VOUS AVEZ UNE MEILLEURE IDÉE, GÉNÉRAL ?
JE VEUX DIRE, SENOR, QUE CES ARMES NE QUITTERONT PAS NOS CEINTURES. ELLES SONT LÀ POUR ME PROTÉGER MOI, ET MOI SEUL ! EST-CE ASSEZ CLAIR ?...

ESPÈCE DE SALAUD!

JE NE SAIS PAS CE QUI ME RETIENT DE T'ÉCRASER LA...

CECI, PEUT-ÊTRE?

VOUS VOYEZ CE QUE JE VOULAIS DIRE, AMIGO?
JE VOUS AURAI LARGA!

J'ADMIRE VOTRE COURAGE SEÑOR WILLEMSEN, MAIS PAS VOTRE FOLIE. SI VOUS VOUS ENFONCEZ DANS LA FORÊT, JE DOUTE QUE NOUS NOUS REVOYIONS JAMAIS.

L'ISOLEMENT, LES MOUSTIQUES, LA PEUR, LA FORÊT, LES PUMAS... TOUT CELA VA FINIR PAR NOUS RENDRE FOUS

TOI, EN TOUT CAS, TU N'AS PAS L'AIR DE T'EN FAIRE, LAURENT!
ET POURQUOI M'EN FERAIS-JE M. BORNSTEIN?

TU AS RAISON POURQUOI S'EN FAIRE?... QU'EST-CE QUE TU LIS?
"CINQ SEMAINES EN BALLON" DE JULES VERNE. VOUS CONNAISSEZ?...

BIEN SÛR! J'AI LU ÇA QUAND J'ÉTAIS GOSSE, TU AIMES?
C'EST PAS MAL ...

C'EST ÇA QU'ON DEVRAIT FAIRE, D'AILLEURS, AU LIEU DE SE DISPUTER...

FAIRE QUOI?...
UN BALLON, TIENS! AVEC TOUTE LA TOILE DE LA CARGAISON, ÇA DEVRAIT ÊTRE POSSIBLE ...

J'EN AI DÉJÀ FAIT SOUVENT DES MONTGOLFIÈRES, C'EST TROIS FOIS RIEN! ON COUPE LA TOILE SELON UN CERTAIN PATRON, ON LA COLLE OU ON LA COUD, ET HOP, C'EST PARTI!
C'EST AMUSANT TON IDÉE! ON POURRAIT S'ENVOLER DANS LE CIEL...

...COMME DES OISEAUX.

CIEL!? OISEAUX!?...
MAIS BON SANG!!...

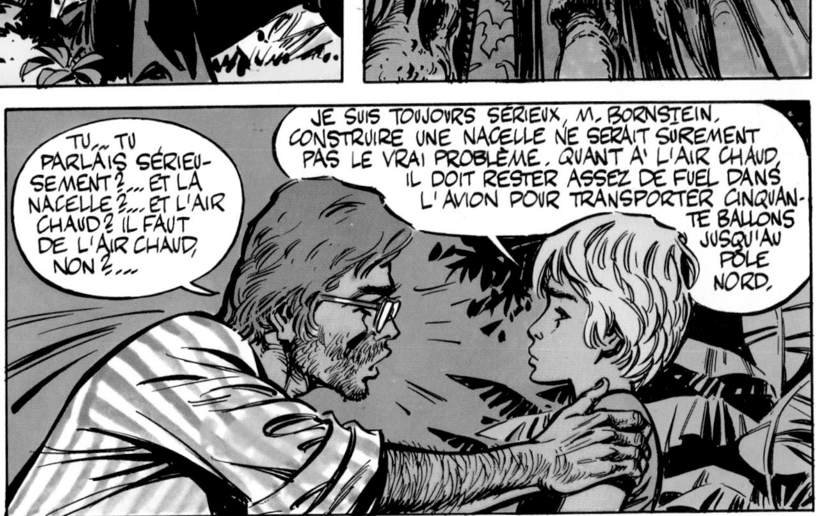
TU... TU PARLAIS SÉRIEUSEMENT?... ET LA NACELLE?... ET L'AIR CHAUD? IL FAUT DE L'AIR CHAUD, NON?...
JE SUIS TOUJOURS SÉRIEUX, M. BORNSTEIN. CONSTRUIRE UNE NACELLE NE SERAIT SÛREMENT PAS LE VRAI PROBLÈME. QUANT À L'AIR CHAUD, IL DOIT RESTER ASSEZ DE FUEL DANS L'AVION POUR TRANSPORTER CINQUANTE BALLONS JUSQU'AU PÔLE NORD.

BOB! GRAY! MARIA!

COMME DIRAIT ASTÉRIX, ILS SONT FOUS, CES AMÉRICAINS !

LE PETIT LAURENT... UNE IDÉE SENSATIONNELLE ... MAIS... QUE FAITES-VOUS ?...

VOUS ARRIVEZ JUSTE À TEMPS POUR LES ADIEUX, TONY. JOSÉ ET MOI, NOUS PARTONS DANS DIX MINUTES !
QUOI ?!

JOSÉ ?... VOUS ... VOUS ÊTES VOLONTAIRE POUR CE PROJET INSENSÉ ?...
BEN ... C'EST-À-DIRE QUE ... HEU ...

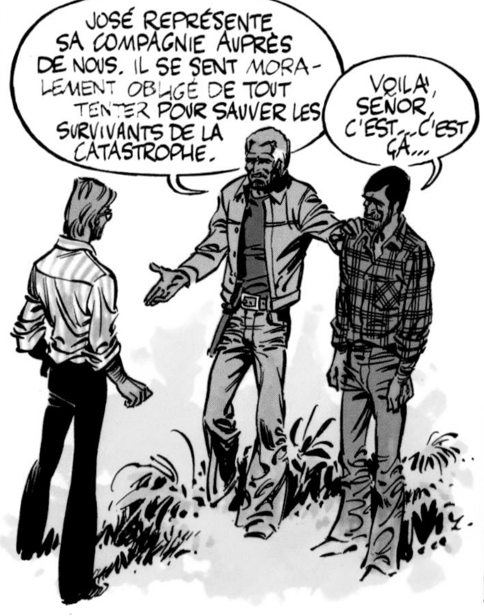
JOSÉ REPRÉSENTE SA COMPAGNIE AUPRÈS DE NOUS. IL SE SENT MORALEMENT OBLIGÉ DE TOUT TENTER POUR SAUVER LES SURVIVANTS DE LA CATASTROPHE.
VOILÀ, SEÑOR, C'EST... C'EST ÇA...

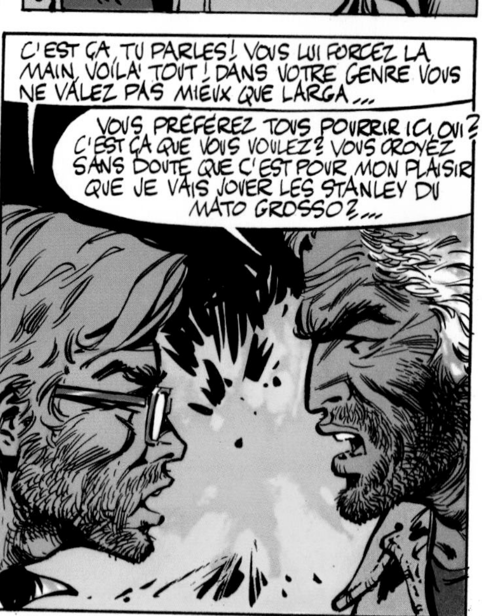
C'EST ÇA, TU PARLES ! VOUS LUI FORCEZ LA MAIN, VOILÀ TOUT ! DANS VOTRE GENRE VOUS NE VALEZ PAS MIEUX QUE LARGA ...
VOUS PRÉFÉREZ TOUS POURRIR ICI, OUI ? C'EST ÇA QUE VOUS VOULEZ ? VOUS CROYEZ SANS DOUTE QUE C'EST POUR MON PLAISIR QUE JE VAIS JOUER LES STANLEY DU MATO GROSSO ?...

CESSONS DE NOUS ÉNERVER, BOB. ATTENDEZ... IL Y A PEUT-ÊTRE UN AUTRE MOYEN...
AH OUI? ET LEQUEL?

UN... UN BALLON!

UNE MONTGOLFIÈRE, SI VOUS PRÉFÉREZ. LAURENT M'A TOUT EXPLIQUÉ. NOUS AVONS ASSEZ DE TOILE. NOUS CONSTRUISONS UNE NACELLE ET UN BRÛLEUR À FUEL POUR L'AIR CHAUD. CE SERAIT POSSIBLE, NON?...

HA! HA! HA! SACRÉ TONY! AU MOINS, VOUS M'AUREZ FAIT RIRE UNE DERNIÈRE FOIS! UN BALLON! HA! HA! HA! ET POURQUOI PAS UN HÉLICOPTÈRE, TANT QUE VOUS Y ÊTES?...

MAIS ASSEZ PERDU DE TEMPS! PRÊT, JOSÉ?
SI, SEÑOR.
ALORS, ON Y VA!

MAIS C'EST FAISABLE, BOB! POURQUOI PAS?... RÉFLÉCHISSEZ...
ÇA SUFFIT, TONY! JE N'AI PLUS DOUZE ANS, MOI.

VOUS ÊTES UNE TÊTE DE MULE, BOB! VOTRE ORGUEIL VOUS EMPÊCHE DE CONSIDÉRER TOUT AUTRE PROJET QUE LE VÔTRE, MÊME SI CELA DOIT VOUS TUER!
PEUT-ÊTRE...

MAIS JE FERAI CE QUE J'AI DÉCIDÉ. VAMOS, JOSÉ!
JOSÉ!

BUENA SUERTE, AMIGO!
LUI, AU MOINS, IL AURA LA BONNE ÉTOILE.

VOUS N'AVEZ AUCUNE MORALITÉ! BONNE CHANCE, WILLEMSEN!

AAAH!... JE ME SENS MIEUX!... TONY?...

VOUS ÊTES SANS SCRUPULES MAIS VOUS ÊTES UN HOMME, BOB. ET PEUT-ÊTRE, ICI, EST-CE VOUS QUI AVEZ RAISON. BONNE ROUTE, MON VIEUX!
MERCI, TONY, JE REVIENDRAI!

PORTANT SUR LEURS ÉPAULES QUATORZE ESPOIRS DE VIVRE, LES DEUX HOMMES S'ENFONCÈRENT DANS LA FORÊT.
ET, TOUT D'UN COUP, LES RESCAPÉS SE SENTIRENT TERRIBLEMENT
SEULS!...

CRRITCHH

AAAAAAAAAHHHH

CLIC!
MARIA, NON!
GRAY ?! C'EST VOUS !? MAIS... QU'EST-CE QUI VOUS A PRIS ?...
JE... PFFF... JE VOULAIS SIMPLEMENT... VOUS FAIRE " COUCOU, QUI EST LÀ ? "...

HA! HA! HA! NOUS SOMMES PERDUS EN PLEINE FORÊT VIERGE, ET VOUS, VOUS JOUEZ À " COUCOU, QUI EST LÀ ? " ! GRAY, JE VOUS ADORE
HUMM... J'ESPÉRAIS BIEN QUE VOUS SERIEZ SENSIBLE À MON CHARME... VIEILLISSANT.

AVANT, VOUS ÉTIEZ POUR MOI CE QUE SONT TOUTES LES GRANDES VEDETTES DE CINÉMA : UN MYTHE, UNE IDOLE. MAIS ICI, BRUSQUEMENT, TOUTES LES VALEURS ONT BASCULÉ : IL N'Y A PLUS QUE DES ÊTRES SANS PASSÉ, ET PLUS QUE PROBABLEMENT SANS AVENIR. MAIS VOUS, JAMES, VOUS CONTINUEZ À JOUER, COMME AU CINÉMA, ET DANS UN SENS, C'EST MERVEILLEUSEMENT RAFRAÎCHISSANT.

JE VAIS VOUS ENLEVER VOS ILLUSIONS, MARIA, AU FOND, JE CRÈVE DE PEUR.
JE SAIS. MOI AUSSI.

MAIS C'EST ÇA, LE COURAGE ! C'EST AVOIR PEUR ET NE PAS LAISSER CETTE PEUR VOUS RONGER ET VOUS ABATTRE.
FACILE À DIRE. MAIS COMMENT ?

EN JOUANT, JUSTEMENT. À CE SUJET, J'AI LÀ UN PETIT PROJET QUI POURRAIT UTILEMENT OCCUPER LES ESPRITS.
RACONTEZ-MOI ÇA, PROFESSEUR.

LE BALLON ! VOUS VOUS SOUVENEZ DE L'IDÉE DU PETIT LAURENT ? NOUS ALLONS CONSTRUIRE UNE MONTGOLFIÈRE !
QUOI ?! VOUS CROYEZ QUE...

JE NE CROIS RIEN DU TOUT ! J'AI FAIT QUELQUES CALCULS. 12 PERSONNES, UNE NACELLE RUDIMENTAIRE ET LA TOILE, ÇA FAIT UN MINIMUM DE 1500 KG À ARRACHER DU SOL. POUR CELA IL FAUDRAIT UN BALLON D'AU MOINS 20 MÈTRES DE DIAMÈTRE. IL N'Y A PAS UNE CHANCE SUR CENT QUE ÇA MARCHE...
MAIS ALORS ?...

CE QUI COMPTE, C'EST QUE LES AUTRES Y CROIENT. ÇA NOUS OCCUPERA ET NOUS EMPÊCHERA DE DEVENIR FOUS.
PAS BÊTE... VOUS DEVRIEZ LEUR EN PARLER AU DÉJEUNER.

DITES, MARIA, POUR PARLER D'AUTRE CHOSE... OÙ AVEZ-VOUS APPRIS À BALANCER LES MESSIEURS PAR-DESSUS VOTRE ÉPAULE ?

QU'EST-CE QUE VOUS CROYEZ, GRINGO ? ÊTRE NÉE PAUVRE À PANAMA CITY, ÇA VOUS APPREND PAS MAL DE CHOSES QUI NE FIGURENT PAS PRÉCISÉMENT AU PROGRAMME DU COUVENT DES OISEAUX...

VOILÀ ! NOUS DEVRIONS EN AVOIR POUR 10 JOURS DE TRAVAIL AU PLUS. SOIT À PEU PRÈS CE QUI NOUS RESTE DE VIVRES, EN NOUS RATIONNANT.

LE TRAVAIL LE PLUS LONG SERA DE COUDRE LA TOILE. IL Y AURA D'AUTRES POINTS, DONT JE FERAI LES CALCULS AU FUR ET À MESURE. QU'EN PENSEZ-VOUS ?

LA FORTUNE SOURIT AUX AUDACIEUX. J'APPROUVE LE PROJET.
ÇA VA MARCHER VOUS ALLEZ VOIR!
C'EST UNE IDÉE GROTESQUE!

JE REFUSE D'ÊTRE MÊLÉE À UN PROJET AUSSI RIDICULE. LES JOURNAUX EN FERONT DES GORGES CHAUDES, MY DEAR.

POUR QUE LES JOURNAUX EN PARLENT, IL FAUDRAIT D'ABORD QU'ON NOUS RETROUVE, NON ?...
MAIS LES SECOURS **DOIVENT** ARRIVER VOYONS! IL EST IMPENSABLE QU'ON NOUS LAISSE PLUS LONGTEMPS DANS CETTE FORÊT PUANTE.

J'ADMIRE VOTRE CONVICTION, MISS TAYLOR.
MISS TAYLOR, N'EST-CE PAS VOUS QUI ME DISIEZ QU'IL N'ÉTAIT PAS FORCÉMENT NÉCESSAIRE D'ESPÉRER POUR ENTREPRENDRE ?...
CELA CONCERNAIT DES ACTIVITÉS SÉRIEUSES, LAURENT. PAS DES... ENFIN SOIT, JE ME RANGERAI À L'AVIS DE LA MAJORITÉ.

VOTRE CONCOURS NOUS SERA PRÉCIEUX, MISS TAYLOR. ELENA ?...
OK! MARIA!

VOILÀ QUI EST SIMPLE, AU MOINS. MR TIMMER ?...
ÇA OU AUTRE CHOSE... POURQUOI PAS ?...
D'ACCORD AVEC LUI. POURQUOI PAS ?

MOI, JE NE VOUS SERAI D'AUCUNE UTILITÉ. J'AI... JE NE PARVIENS PAS À ME REMETTRE DE LA MORT DE MA FEMME...

NOUS COMPATISSONS TOUS À VOTRE DOULEUR, MR. RAFALOWSKI. MAIS PLEURER SUR VOUS-MÊME NE VOUS SORTIRA PAS D'ICI. QUANT À VOUS, GÉNÉRAL, INUTILE DE VOUS DEMANDER VOTRE COLLABORATION, JE SUPPOSE ?...
VOUS ÊTES PLEINE DE SAGESSE, SEÑORITA. MAIS BIEN ENTENDU, SI LE LIEUTENANT BENITEZ ACCEPTE DE VOUS AIDER, JE N'Y VOIS PAS D'INCONVÉNIENT.
C'EST VRAIMENT TROP AIMABLE À VOUS, GÉNÉRAL.

HEM !... BON, ET SI ON ALLAIT VOIR À QUOI RESSEMBLE CETTE CARGAISON DE TOILE, HEIN ?...

CORAIR CORTEGUAY AIRLINES
B7-5DCR
HÉ !
AAAH ! MA MAIN !

JE LE SAVAIS ! JE LE SAVAIS !
REGARDEZ MA MAIN ...
MAIS ... C'EST TROIS FOIS RIEN, VOYONS ...
VOUS NE COMPRENEZ DONC PAS IMBÉCILE?
LE PIANO, C'EST TOUTE MA VIE ... SANS MES MAINS JE NE SUIS RIEN !

UN MILLION DE DOLLARS !
MES MAINS SONT ASSURÉES UN MILLION DE DOLLARS ! ET VOUS VOUDRIEZ QUE JE LES ABÎME À VOTRE FICHU BALLON ?!

DITES, VOTRE NEZ ... IL EST AUSSI ASSURÉ ?
MON ?... NON POURQUOI ?...

POUR ÇA !

DÉSOLÉ, MON VIEUX ! MAIS IL VAUT MIEUX ÊTRE VIVANT AVEC UN MILLION DE DOLLARS QU'ÊTRE UN SQUELETTE AUX DOIGTS INTACTS ... ET VOUS OFFRIR UNE CRISE DE NERFS NE VOUS MÈNERA À RIEN .

HO HO !... JIMMY-LE-DUR, COMME AU CINÉMA, HEIN ?!
OUAIS ! MON MEILLEUR COUP DE POING DEPUIS "LA PISTE DE L'OUTLAW"

MAIS PUISQUE NOUS SOMMES EN PLEIN CINÉMA, J'AURAIS UNE PROPOSITION À VOUS FAIRE ...
MALHONNÊTE, BIEN ENTENDU ...

BIEN ENTENDU ! CE SOIR, NOUS VOLONS UNE BOUTEILLE DE CHAMPAGNE ET NOUS BUVONS TOUS LES DEUX À LA SANTÉ DE VOTRE SACRÉ BALLON. HMM ?

JE CROIS QUE J'ADORERAIS ÇA, JAMES

LE 9° JOUR
ALORS PROFESSEUR ! SATISFAITE DE L'ÉTAT D'AVANCEMENT DES TRAVAUX ?
ÇA MARCHE, MONSIEUR CABRAL. LA MOITIÉ DES "POISSONS" SONT DÉJÀ COUSUS. ET LA NACELLE SERA PRÊTE À TEMPS.
REGARDEZ ! C'EST LAURENT QUI M'A EXPLIQUÉ LES DONNÉES. POUR FORMER LE BALLON D'UNE MONTGOLFIÈRE, VOUS DÉCOUPEZ 16 "POISSONS" DE CETTE FORME-LÀ, ET VOUS LES ASSEMBLEZ BORD À BORD, LE BORD DU 16° REJOIGNANT LE BORD DU 1°

C'EST ASSEZ SIMPLE. LA PRINCIPALE DIFFICULTÉ EST DE RENDRE LE COL DU BALLON, FORMÉ PAR LES QUEUES DES POISSONS, ASSEZ RIGIDE POUR SOUTENIR LES SUSPENTES DE LA NACELLE.

ET EUX DEUX, QUE FONT-ILS ?

ILS FONDENT TOUT CE QUE NOUS AVONS PU TROUVER DE CAOUTCHOUC POUR EN RECOUVRIR LES COUTURES. C'EST PLUS QUE RUDIMENTAIRE, MAIS C'EST CE QUE J'AI TROUVÉ DE MIEUX POUR RENDRE LE BALLON ÉTANCHE À L'AIR CHAUD.

AUTOUR DU COL DU BALLON, RENFORCÉ À L'INTÉRIEUR PAR DES RAYONS DE BOIS (COMME UNE ROUE DE BICYCLETTE), NOUS COUDRONS SOLIDEMENT UNE BANDE DE TOILE TORSADÉE, POUR Y ACCROCHER LES CORDES QUI RETIENDRONT LA NACELLE...

BRAVO, PROFESSEUR ! IL SEMBLERAIT QUE VOUS AYEZ PENSÉ À TOUT. MAIS VOUS M'EXPLIQUEREZ LE RESTE PLUS TARD. LA JOURNÉE DE TRAVAIL EST FINIE : J'ENTENDS ELENA QUI NOUS APPELLE POUR LE DÎNER. POUR AUTANT QU'ON PUISSE APPELER ÇA UN DÎNER !...

DITES DONC, ELENA, ON DIRAIT QUE VOS RATIONS ONT ENCORE DIMINUÉ...

JE SUIS DÉSOLÉE, SEÑOR, MAIS NOS RÉSERVES SONT PRESQUE ÉPUISÉES.
MAIS C'EST QUE J'AI FAIM, MOI!...
VOUS VOUS CROYEZ ORIGINAL?
NOUS AVONS TOUS FAIM, RAFALOWSKI! ALORS FERMEZ-LA! ET ESSAYEZ SEULEMENT DE RÉSISTER À L'ENVIE D'ALLER VOLER DES PROVISIONS PENDANT LA NUIT.

DITES DONC!... OH, ET PUIS ZUT! ALLEZ AU DIABLE!
IL Y A POURTANT UN MOYEN ÉLÉMENTAIRE D'AUGMENTER LES RATIONS...
VRAIMENT, GÉNÉRAL? ET COMMENT CELA?...

EN DIMINUANT LE NOMBRE DES CONVIVES, TOUT SIMPLEMENT!!

SCRINGG

DITES DONC, MON VIEUX... VOUS TROUVEZ QUE C'EST LE MOMENT DE GASPILLER LA NOURRITURE?
EX... EXCUSEZ-MOI!... D'AILLEURS, JE... JE N'AI PAS FAIM...

PAS FAIM, PAS FAIM... CE TYPE EST DÉGOÛTANT!

MAIS L'INCIDENT FUT VITE OUBLIÉ. ROMPUS DE FATIGUE ET DE PRIVATIONS, LES RESCAPÉS S'ENDORMIRENT POUR LEUR NEUVIÈME NUIT D'ANGOISSE ET DE SOLITUDE.

CEPENDANT, PEU AVANT L'AUBE ...

OÙ DIABLE EST-ELLE ? C'EST POURTANT BIEN ICI QUE JE ...

AH! LA VOICI!

VITE ! DÉTRUIRE CES PAPIERS AVANT QUE ...

PAS TOUT DE SUITE, M. TIMMER ...
J'AIMERAIS AU PRÉALABLE JETER UN PETIT COUP D'OEIL SUR DES DOCUMENTS AUSSI SOIGNEUSEMENT CACHÉS ...

AU SEC... AAAARRGGL...

AH, VOILA'... U.N.O. SPÉCIAL DÉPARTEMENT... TOP SECRET... RAPPORT SUR LA CORRUPTION DU GÉNÉRAL LARGA, CHEF D'ÉTAT-MAJOR DU CORUGUAY...

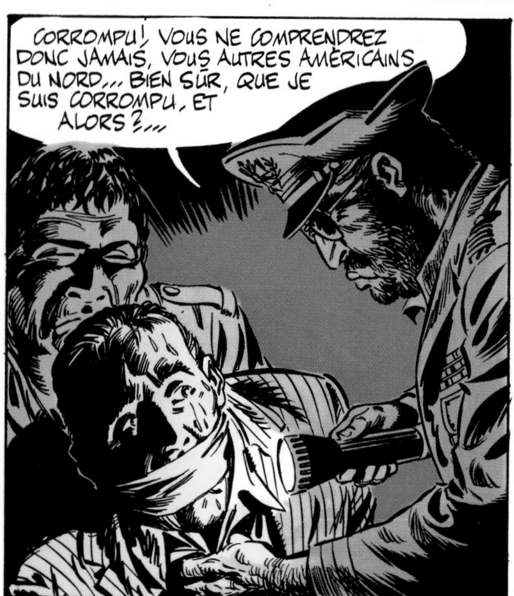
CORROMPU! VOUS NE COMPRENDREZ DONC JAMAIS, VOUS AUTRES AMÉRICAINS DU NORD... BIEN SÛR, QUE JE SUIS CORROMPU, ET ALORS?...

JE NE SUIS PAS LE SEUL, D'AILLEURS, ET VOUS LE SAVEZ FORT BIEN. CROYEZ-VOUS VRAIMENT QUE VOTRE ENQUÊTE, SOUS COUVERTURE DIPLOMATIQUE, SOIT RESTÉE SECRÈTE? VOUS SERIEZ NAÏF... MAIS JE CROIS QUE VOUS ÊTES EFFECTIVEMENT NAÏF, TIMMER.

MAIS VOUS AVEZ TOUT DE MÊME COMPRIS QUE MA PRÉSENCE A' BORD DU MÊME AVION QUE VOUS N'ÉTAIT PAS UNE COÏNCIDENCE. DE TOUTE MANIÈRE VOUS N'AURIEZ PAS DÉPASSÉ L'ESCALE DE PANAMA, ET CELA AUSSI, VOUS VOUS EN DOUTIEZ...

SEULEMENT VOILA'... VOUS N'ÊTES PAS FAIT POUR CE MÉTIER, TIMMER. LE CRASH DE L'AVION A ÉTÉ POUR VOUS UN SURSIS INESPÉRÉ. AVEC UN PEU DE SANG-FROID, VOUS POUVIEZ VOUS EN TIRER. MAIS VOUS AVEZ PRIS PEUR, J'AI TROUVÉ VOS DOCUMENTS, ET VOUS, VOUS DEVEZ MOURIR. AU MOINS, VOUS AUREZ LA CHANCE D'UNE MORT RAPIDE...

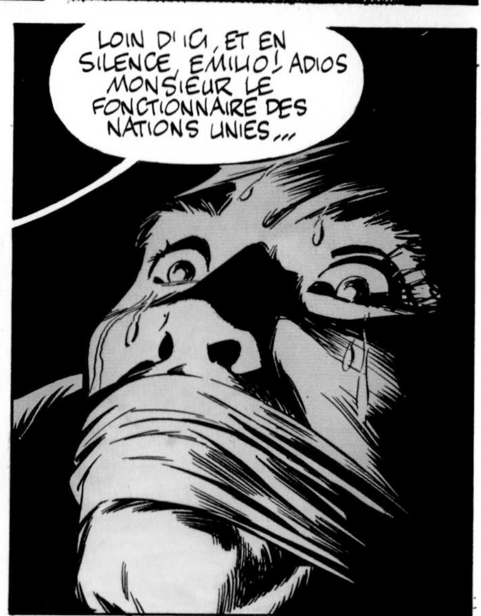
LOIN D'ICI, ET EN SILENCE, EMILIO! ADIOS MONSIEUR LE FONCTIONNAIRE DES NATIONS UNIES...

DEBOUT TOUT LE MONDE ! LE CAFÉ EST PRÊT !
BONG BONG BONG BONG BONG

HELL ! AVOIR TOUTES LES CHANCES DE POURRIR DÉFINITIVEMENT DANS CE TROU, ET NE MÊME PAS POUVOIR FAIRE TRANQUILLEMENT LA GRASSE MATINÉE ... QUELLE VIE !!

ET DIRE QU'IL N'Y A PAS MÊME MOYEN DE SE LAVER UN PEU ... SPEW ! JE POURRAIS FENDRE UN MIROIR RIEN QU'EN M'Y REGARDANT ! ...
SI TA JOLIE PETITE FRIMOUSSE TE MANQUE TELLEMENT, RASE-TOI À SEC, COMME TIMMER. CE SERA TOUJOURS ÇA ...

TIENS À PROPOS, OÙ EST-IL, CELUI-LÀ ? QU'ON NE ME DISE PAS QU'IL N'A PAS ENTENDU LE MÉLODIEUX RÉVEIL D'ELENA ! ...
JE VAIS LE TIRER DE SON LIT. J'AI BESOIN DE LUI POUR FONDRE MON CAOUTCHOUC.

ALORS, MON VIEUX, VOUS ... HÉ ! ...

INTROUVABLE !
PAS VU !
C'EST INQUIÉTANT ! CROYEZ-VOUS QU'IL ... MON DIEU ! ...

MAIS AU FOND ... LE LIEUTENANT BENITEZ MANQUE AUSSI ! DITES DONC, GÉNÉRAL, TIMMER VENAIT BIEN DU CORUGUAY, NON ? ...

SI, ET ALORS?
RIEN, JE ME DEMANDAIS SI...

VOUS VOUS DEMANDEZ TROP, AMIGO! CE N'EST TOUT DE MÊME PAS PARCE QUE CE TIMMER S'EST PROBABLEMENT FAIT ATTRAPER PAR UN PUMA QUE J'EN SUIS RESPONSABLE, NON?!

D'AILLEURS, VOICI BENITEZ QUI REVIENT...

UN PEU DE NOURRITURE FRAÎCHE, MESSIEURS DAMES : CERTAINES RACINES, DES FRUITS COMESTIBLES, UN PEU DE VIANDE... JE CRAINS QUE CE NE SOIT PAS TOUJOURS TRÈS BON, MAIS NOUS Y TROUVERONS UN PEU DES VITAMINES ET DES PROTÉINES QUI NOUS MANQUENT.

EMILIO EST UN MÉTIS, ET IL CONNAÎT ASSEZ BIEN LA FORÊT. CE MATIN À L'AUBE, JE L'AI ENVOYÉ CHERCHER DE QUOI AMÉLIORER NOTRE MAIGRE ORDINAIRE. CE SERA MA CONTRIBUTION À NOTRE OBJECTIF COMMUN : SURVIVRE!

UNE EXCELLENTE INITIATIVE, GÉNÉRAL!
NOUS POURRONS AINSI GAGNER LES QUELQUES JOURS DONT NOUS AVONS ENCORE BESOIN.
HOURRA! VIVE LE GÉNÉRAL LARGA!

OUAIS, VIVE LE GÉNÉRAL... ET SI CETTE BRUTE ÉGOÏSTE PENSAIT SÉRIEUSEMENT CE QU'ELLE A DIT HIER SOIR : LA FAÇON LA PLUS SIMPLE D'AUGMENTER LES RATIONS EST DE DIMINUER LE NOMBRE DES CONVIVES...
QUI, ALORS, SERAIT LE PROCHAIN SUR SA LISTE?

LE 12ᵉ JOUR...

JE SUIS TRÈS INQUIÈTE, MR. BORNSTEIN. JE CHERCHE LAURENT DEPUIS UN QUART D'HEURE, ET JE NE LE VOIS NULLE PART...
BAH! IL A DÛ S'ENFONCER DANS LA FORÊT. NE VOUS EN FAITES PAS, MISS TAYLOR, JE VAIS ALLER LUI TIRER LES OREILLES.

VOULEZ-VOUS QUE JE VOUS ACCOMPAGNE, TONY?
NON, TAN, CONTINUEZ À TRAVAILLER. J'EN AI POUR CINQ MINUTES...

LAURENT?... LAURENT?...

BON SANG! CE SATANÉ GOSSE NE SE REND PAS COMPTE!...

LAUR...

AAAAAAAAHHHHH

VOUS ARRIVEZ TROP TARD, SEÑORES, LE SPECTACLE EST TERMINÉ !

MISS TAYLOR! ...
LAURENT!

LAURENT MON PETIT... DIEU SOIT LOUÉ! ...

J'ÉTAIS LÀ... LE PUMA... JE N'OSAIS PAS BOUGER. MR. BORNSTEIN EST ARRIVÉ... IL S'EST JETÉ SUR LE PUMA... ILS SE SONT BATTUS...

MARIA, JE...

JE...

C'EST FINI...

ET EUX DEUX, LÀ, ILS SONT ARRIVÉS DEPUIS LE DÉBUT. ILS AVAIENT LEURS REVOLVERS ET ILS N'ONT RIEN FAIT...

QUOI!?
C'EST VRAI, GÉNÉRAL?
EST-IL POSSIBLE QUE?...

QUE JE NE SOIS PAS INTERVENU?... ET POURQUOI L'AURAIS-JE FAIT, MA CHÈRE?

J'AI FINI PAR Y CROIRE, MOI, À VOTRE BALLON, MAIS IL FAUT ÊTRE RÉALISTE, MON ENFANT : NOUS SOMMES ENCORE TROP NOMBREUX POUR QU'IL NOUS EMPORTE TOUS. ALORS, JE LAISSE FAIRE LA SÉLECTION NATURELLE...

DE TOUS LES SALAUDS QUE J'AI VUS DANS MA VIE, VOUS ÊTES BIEN LE PLUS...
NON, M. GRAY!
IL A UN REVOLVER...

TRÈS JUSTE, SEÑORITA, TRÈS JUSTE! ET IL SERAIT BON QUE CHACUN S'EN SOUVIENNE...

LARGA, TU ES UN PORC IMMONDE...

TU ES LE PLUS CORROMPU, LE PLUS RÉPUGNANT TAS DE GRAISSE IGNOBLE QUE NOTRE CONTINENT AIT JAMAIS EU LA STUPIDITÉ DE DÉGUISER EN GÉNÉRAL...
CABRAL, VOUS ÊTES FOU?...

C'EST TOI QUI DEVRAIS ÊTRE COUCHÉ LÀ! TOI, ET PAS CE JEUNE AMÉRICAIN! ÇA, CE SERAIT LA JUSTICE!
PRENDS GARDE, CABRAL!...

MALDITO PUERCO!!

CARAÏ!
TU AS CHOISI TA MORT, PIQUEUR DE VACHES!

PANG

PAS UN GESTE, VOUS AUTRES! HÉ?... OÙ SONT L'ANGLAISE ET LE GAMIN?

TONGG!

QU'EST-CE QUE ?...

PANG

?!?
NE... NE BOUGEZ PAS...

NON! JE ... JE VAIS TIRER! JE VAIS...
TIRE, LAURENT!
TIRE!
TIRE!

PANG
PANG PANG

JE... JE L'AI TUÉ... TUÉ...

IL LE FALLAIT, N'EST-CE PAS, MISS TAYLOR ? POUR M. BORNSTEIN, POUR M. CABRAL, POUR LES AUTRES... IL LE FALLAIT, N'EST-CE PAS ?...

OUI, LAURENT, OUI, IL LE FALLAIT, MAIS HÉLAS, NOUS NE SERONS PLUS JAMAIS LES MÊMES, À PRÉSENT!

J'AI DONNÉ UN SÉDATIF À LAURENT ET AUX DEUX FEMMES, ILS DORMENT DÉJÀ, VOUS AVEZ CACHÉ LES ARMES ?...

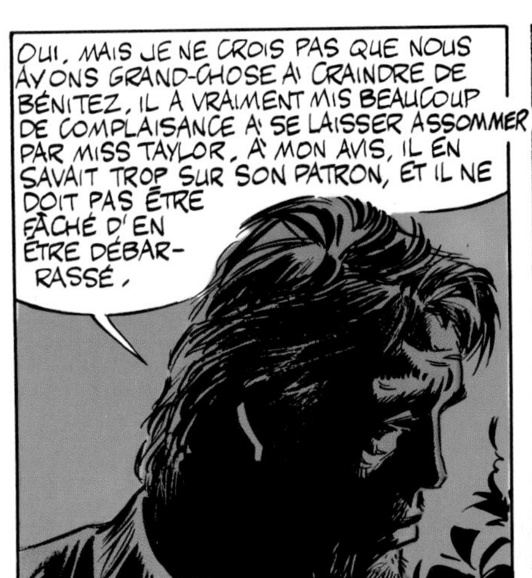
OUI, MAIS JE NE CROIS PAS QUE NOUS AYONS GRAND-CHOSE À CRAINDRE DE BÉNITEZ. IL A VRAIMENT MIS BEAUCOUP DE COMPLAISANCE À SE LAISSER ASSOMMER PAR MISS TAYLOR. À MON AVIS, IL EN SAVAIT TROP SUR SON PATRON, ET IL NE DOIT PAS ÊTRE FÂCHÉ D'EN ÊTRE DÉBARRASSÉ.

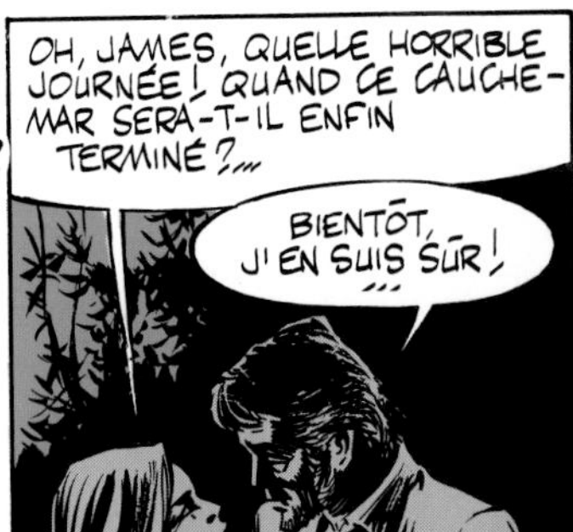
OH, JAMES, QUELLE HORRIBLE JOURNÉE ! QUAND CE CAUCHEMAR SERA-T-IL ENFIN TERMINÉ ?...
BIENTÔT, J'EN SUIS SÛR !...

... J'AI FINI PAR Y CROIRE, À VOTRE BALLON, ET LARGA, DANS SON CYNISME, AVAIT RAISON : NOUS NE SOMMES PLUS QUE 8, C'EST DEVENU POSSIBLE...

OUI, C'EST DEVENU POSSIBLE... MAIS NOUS NE SERONS QUE 7 DANS LA NACELLE, JAMES, PAS 8 !
QUOI ?

REGARDEZ LÀ-HAUT

LE PASSAGE EST TOUT JUSTE. LIVRÉ À LUI-MÊME, LE BALLON SE DÉCHIRERAIT AUX BRANCHES, SE PLAQUERAIT CONTRE LES TRONCS, IL N'ARRIVERAIT JAMAIS JUSQU'À L'OUVERTURE...

LE SEUL MOYEN D'Y ARRIVER, C'EST DE GUIDER LE BALLON À PARTIR DU SOL !
MAIS ALORS ?...
OUI, JAMES, VOUS AVEZ COMPRIS ! POUR DONNER AUX AUTRES UNE MINCE CHANCE DE SURVIE, L'UN DE NOUS DEVRA RESTER AU SOL !!

LE 14° JOUR...
CA
ILS... ILS L'ONT FAIT !

AAAH!
ELENA...

VENEZ!... VITE!... M. WILLEMSEN!... IL EST REVENU!...

... ET QUELQUES HEURES PLUS TARD...
ALORS?...
IL DORT. MISS TAYLOR EST PRÈS DE LUI. IL EST À MOITIÉ MORT DE FAIM ET D'ÉPUISEMENT. MAIS QUELLE FORCE, QUELLE VOLONTÉ PRODIGIEUSE IL LUI A FALLU POUR TENIR LE COUP! ET QUEL MIRACLE POUR LE RAMENER ICI!...
ET... ET JOSÉ?...

NOUS SAURONS À SON RÉVEIL, ELENA. EN ATTENDANT, VOYEZ CE QU'IL NOUS RESTE COMME VIVRES ET GARDEZ-LES POUR BOB. IL EN AURA BESOIN.
HÉ LÀ! MAIS...

IL N'Y A PAS DE MAIS, M. RAFALOWSKI! CES VIVRES NE NOUS SERVIRONT PLUS... DEMAIN, NOUS PARTONS OU NOUS MOURONS!

NOUS AVONS DÉSESPÉRÉMENT CHERCHÉ TOUS LES MOYENS POSSIBLES POUR ÉVITER D'EN ARRIVER LÀ... RIEN À FAIRE!

LA SEULE CHANCE D'ÉVITER L'ÉCHEC CERTAIN, C'EST QUE L'UN DE NOUS RESTE AU SOL POUR GUIDER LE BALLON À TRAVERS LES ARBRES. NOUS VOUS L'AVIONS DÉJÀ DIT HIER: **L'UN DE NOUS DOIT SE SACRIFIER!**

CE SOIR, NOUS ALLONS TIRER AU SORT CELUI QUI, DEMAIN, MOURRA SEUL! LES FEMMES ÉTANT EXCLUES DU JEU, IL RESTE BENITEZ, TAN SEK TOH, RAFALOWSKI ET MOI-MÊME...

DANS CE SAC, MARIA A MIS 4 BOULES DE PLASTIQUE: 3 BLANCHES ET 1 **NOIRE**...
METTEZ-EN, 5, MARIA!

BOB, MON VIEUX, HEUREUX DE VOUS VOIR SUR PIED, MAIS IL EST HORS DE QUESTION QUE...
FOUTAISES!

J'AI UNE DETTE À PAYER, NON?... JOSÉ EST MORT LE 5° JOUR, ENGLOUTI DANS UN MARÉCAGE. JE SUIS DÉSOLÉ, ELENA... ALORS, J'AI FAIT DEMI-TOUR ET JE ME SUIS TRAÎNÉ JUSQU'ICI. ET MALHEUREUSEMENT, JE N'AI VU AUCUNE TRACE DE VIE HUMAINE.

C'EST VRAI. JOSÉ EST MORT PARCE QUE JE L'AVAIS ENTRAÎNÉ. MAIS JE PERSISTE À CROIRE QUE J'AI EU RAISON D'ESSAYER. NOUS NE SOMMES PAS PARTIS DANS LA BONNE DIRECTION, C'EST TOUT.

PAR CONTRE, VOTRE PROJET FARFELU SEMBLE VOULOIR RÉUSSIR. C'EST PARFAITEMENT ILLOGIQUE, MAIS C'EST AINSI. JE SUIS JOUEUR. JE PARTICIPE!

IL A RAISON! WILLEMSEN DOIT TIRER AU SORT AVEC NOUS!
PARCE QUE ÇA VOUS DONNE UNE CHANCE DE MOINS DE TIRER LA BOULE NOIRE, HEIN, CLOPORTE?

DITES DONC...
ASSEZ! VOUS ÉTIEZ PEUT-ÊTRE UN GRAND PIANISTE, MAIS COMME HOMME, VOUS ÊTES ZÉRO! ZÉRO! RAFALOWSKI! J'ESPÈRE QUE VOUS TIREREZ LA NOIRE... AU MOINS, LE DERNIER ACTE DE VOTRE VIE SERAIT UTILE À QUELQUE CHOSE...

VOUS AVEZ AJOUTÉ LA CINQUIÈME BOULE, MARIA?
OUI, MAIS...

ALORS, ASSEZ PERDU DE TEMPS! ALLONS-Y...

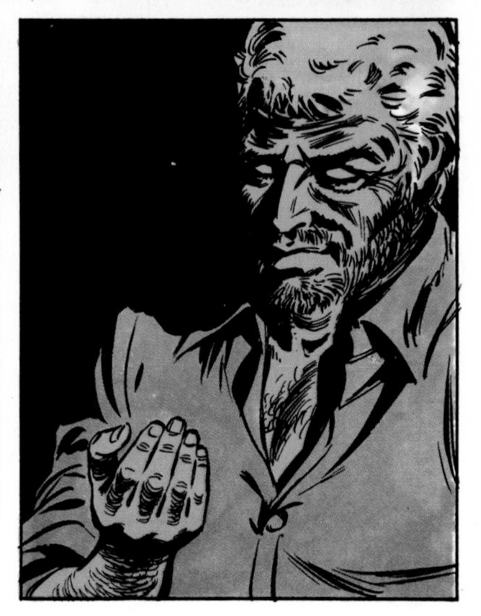

QUELLE COULEUR AVEZ-VOUS TIRÉE? WILLEMSEN? VOUS DEVEZ LE DIRE...
ET LE SUSPENSE, CLOPORTE?... JE VEUX VOUS VOIR FAIRE PIPI DANS VOTRE CULOTTE... JUSQU'À LA DERNIÈRE GOUTTE!
JAMES...

TAN SEK TOH...

BENITEZ...

À VOUS, RAFALOWSKI...
HÉ, CLOPORTE!...

MA BOULE, C'EST UNE BLANCHE!

NON! JE NE VEUX PAS!
VI 38

C'EST INJUSTE! VOUS N'AVEZ PAS LE DROIT! POURQUOI MOI, HEIN? POURQUOI MOI?... VOUS L'AVEZ FAIT EXPRÈS!

JE NE VEUX PAS RESTER! JE NE VEUX PAS MOURIR!... ET LES FEMMES, HEIN?... LES FEMMES AUSSI DOIVENT TIRER AU SORT...

JE SUIS UN ARTISTE DE RENOMMÉE MONDIALE! JE VAUX PLUS QUE LES AUTRES! JE...
ASSEZ!

JE VOUS DONNE LE CHOIX ENTRE UNE MORT UTILE ET UNE MORT IMMÉDIATE.

UNE BOULE BLANCHE! LE DESTIN EST MAL FAIT...
LE CLOPORTE S'EST ÉVANOUI!
MAIS ALORS?...

JE SUIS TRÈS HONORÉ D'AVOIR ÉTÉ CHOISI!

PLUS TARD, DANS LA NUIT...

JAMES! IL SE PASSE QUELQUE CHOSE!

SOYEZ PRUDENT!
JE VAIS ALLER VOIR.

C'EST VOUS, JAMES? VOUS VOYEZ, JE PRIE SELON LA RELIGION DES MIENS.

JE COMPRENDS VOTRE ÉTONNEMENT. AVANT CETTE AVENTURE, J'ÉTAIS UN HOMME D'AFFAIRES DE SINGAPOUR. AVEC FEMME ET ENFANTS, VOITURE ET SÉCURITÉ SOCIALE. UN CHINOIS "MODERNE" ET CONTENT DE L'ÊTRE...

MAIS EN TIRANT LA BOULE NOIRE, CE SOIR, J'AI SENTI LE SOUFFLE DU SACRIFICE. J'AI SENTI L'APPEL DE MES ANCÊTRES. CETTE NUIT, JAMES, JE SUIS UN... UN CHEVALIER! ET UNE GRANDE SÉRÉNITÉ M'ENVAHIT.

VOUS ÊTES UN SACRÉ BONHOMME, SEK TOH! JE VOUDRAIS... BONNE CHANCE, MON VIEUX!

LE 15e JOUR...
CORAIR
B7-SOCR

LE BRÛLEUR FONCTIONNE COMME UN SIMPLE BEC "BUNSEN". LA SEULE CHOSE À FAIRE EST DE SURVEILLER L'ALIMENTATION RÉGULIÈRE EN FUEL.
CETTE CORDE COMMANDE UNE SOUPAPE D'ÉCHAPPEMENT D'AIR. IL SUFFIRA DE TIRER DESSUS POUR FAIRE DESCENDRE LE BALLON... ÇA, C'EST POUR L'ARRIVÉE... S'IL Y EN A UNE!
LE DÉPART, LUI, EST ENTRE VOS MAINS, SEK TOH! J'ESPÈRE QUE VOUS AVEZ BIEN COMPRIS LA MANOEUVRE.
NE VOUS EN FAITES PAS POUR LE DÉPART, MARIA. VOUS RÉUSSIREZ, J'EN SUIS SÛR...
SEK TOH, JE...
PAS DE BLA-BLA, BOB! EMBARQUEZ, VOUS ALLEZ RATER LA MARÉE...

VOUS ÊTES UN HOMME COURAGEUX, M. TAN.
VOUS AUSSI, MISS... SI J'OSE AINSI DIRE...

BONNE CHANCE, PETIT...

JAMES, DÉPÊCHEZ-VOUS!

HÉ, SEK TOH!...

HÉ?
MAIS ??
VIF COMME L'ÉCLAIR, GRAY TRANCHE LA CORDE QUI RETIENT LE TREUIL DE FORTUNE...
...CELUI-CI SE MET À TOURNER À TOUTE VITESSE, DÉVIDANT LES CORDES D'AMARRAGE À TOUTE ALLURE...
...LE BALLON S'ÉLÈVE BRUTALEMENT, DÉSÉQUILIBRANT LES PASSAGERS HURLANT D'EFFROI...
MAIS GRAY, DÉJÀ, PESANT DE TOUT SON POIDS SUR LE TREUIL, ARRÊTE L'ENVOL DÉSORDONNÉ...

JAMES! VOUS ÊTES FOU?... POURQUOI?... POURQUOI?
PAR ORGUEIL, MARIA...

TOUTE MA VIE D'ACTEUR, J'AI VÉCU L'HÉROÏSME PAR PROCURATION. MAIS MA VRAIE VIE, ELLE, A ÉTÉ INUTILE. JE N'AI RIEN CRÉÉ... PERSONNE NE M'ATTEND.
J'AI 53 ANS, ET JE NE VEUX PAS DE LA PITIÉ RÉSERVÉE AUX ACTEURS VIEILLISSANTS... JE CHOISIS UNE BELLE SORTIE, C'EST BEAUCOUP MIEUX AINSI!

JAMES! JE VOUS EN SUPPLIE... JAMES!

TROP TARD, MARIA! VOTRE VIE EST DEVANT VOUS. LA MIENNE... MÊME MON NOM ÉTAIT DU BLUFF. MAIS AUJOURD'HUI, ENFIN, J'EXISTE DE NOUVEAU: JE REDEVIENS ERNEST BRODSCLAV, LE FILS DU PETIT IMMIGRANT POLONAIS... ADIEU!

ET, LENTEMENT, GRAY LIBÈRE LA CORDE...

JAMES...
JE CROIS QUE OUI !... ÇA PASSE !
ADIEU, MARIA... ADIEU !

ag press bru b

17.32

tlx ++++
51121 ag press rio br

ba10729 9.5

affaire vol cr512 corair huit rescapes dont
rafalowski et jeune draillac recueillis
miraculeusement petite ville porto velho sur
rio madeira apres deux jours vol ahurissant
sur montgolfiere de fortune construite lieu
accident stop
recherches entreprises neuvieme survivant
acteur james gray reste sur place mais
espoirs le sauver tres faibles car rescapes
incapables fournir coordonnees exactes lieu
accident stop
rescapes transferes brasilia pour hospitalisation
et enquete autorites stop
esperons correspondant brasilia obtiendra tous
details sur ce prodigieux exemple solidarite
humaine stop

agp/rio
091730 br
tlx ++++

ag press bru b

F L A S H - B A C K

TOUT A COMMENCÉ À SINGAPOUR.

UN INSTANT, PAS SI VITE... METTONS D'ABORD LES CHOSES AU POINT.

JE N'AI PAS L'HABITUDE D'ÉCRIRE. NI DES PRÉ- OU POSTAMBULES, NI AUTRE CHOSE, À PART PEUT-ÊTRE UNE CARTE POSTALE DE TEMPS EN TEMPS.

SEULEMENT, LA LETTRE DE DANY ET VAN HAMME NE M'A GUÈRE LAISSÉ LE CHOIX. ÉTANT DANS UNE CERTAINE MESURE À L'ORIGINE DE LEUR HISTOIRE SANS HÉROS , J'ÉTAIS LE SEUL, SELON LEURS PROPRES TERMES, À POUVOIR "DONNER UN ÉCLAIRAGE DIFFÉRENT SUR CETTE DRAMATIQUE AVENTURE".

AUTREMENT DIT, J'ÉTAIS COINCÉ.

ET VOILÀ POURQUOI C'EST SOUS MA PLUME LABORIEUSE (J'AI MIS DEUX MOIS ET TROIS SECRÉTAIRES POUR ÉCRIRE CE MACHIN) QUE VOUS ALLEZ APPRENDRE COMMENT LES CHOSES SE SONT RÉELLEMENT PASSÉES.

DONC, DISAIS-JE, TOUT A COMMENCÉ À SINGAPOUR.

ET PLUS PRÉCISÉMENT DU CÔTÉ DE CHULIA STREET, À LA LIMITE DU VIEUX CHINATOWN. UN QUARTIER TOUT À FAIT CHARMANT AU BORD DE LA SINGAPORE RIVER OÙ, PARAÎT-IL, ON MUTILE ENCORE LES ENFANTS AU BERCEAU POUR EN FAIRE DES PETITS MENDIANTS PROFESSIONNELS. VOUS VOYEZ TOUT DE SUITE LE GENRE. RUELLES SORDIDES, MASURES ÉVENTRÉES ET VIEUX SAMPANS POURRIS ENVAHIS PAR LES RATS : LE VRAI DÉCOR À FAIRE SALIVER DE BONHEUR LES FANATIQUES DU FESTIVAL D'AVORIAZ.

J'AVAIS DÛ M'Y RENDRE EN PLEINE NUIT POUR Y RÉGLER UN PROBLÈME, DISONS, DÉLICAT. ET C'EST EN LONGEANT LE QUAI SUD POUR REGAGNER LE HAUT DE LA VILLE, MON PROBLÈME RÉSOLU, QUE J'AI SAUVÉ LA VIE À MON CHINOIS.

IL S'ÉTAIT FAIT TRÈS BANALEMENT DÉVALISER PAR DES VOYOUS, QUI L'AVAIENT ENSUITE JETÉ DANS LA RIVIÈRE POUR SE DÉBARRASSER D'UN TÉMOIN GÊNANT.

ET MOI, N'ÉCOUTANT QUE MON BON COEUR, J'AI PIQUÉ UN PETIT PLONGEON DANS LES IMMONDICES CHARRIÉES PAR LE COURANT POUR L'EN RETIRER. BIEN ENTENDU, IL S'ÉTAIT ACCROCHÉ À MOI COMME UNE PIEUVRE EN DÉLIRE ET J'AVAIS DÛ L'ASSOMMER D'UN SOLIDE CROCHET AU MENTON POUR NOUS ÉVITER DE COULER TOUS LES DEUX.

LE SCÉNARIO CLASSIQUE, QUOI !

C'ÉTAIT UN CHINOIS ASSEZ JEUNE, VÊTU DE CE QUI AVAIT DÛ ÊTRE UN COMPLET DE BONNE COUPE. LA PREMIÈRE CHOSE QU'IL FIT EN REVENANT À LUI APRÈS AVOIR DÉGURGITÉ QUELQUES LITRES DE VASE POLLUÉE FUT DE SE TÂTER LE MENTON EN GRIMAÇANT.

- DÉSOLÉ D'AVOIR COGNÉ AUSSI FORT, ME CRUS-JE OBLIGÉ DE DIRE. MAIS C'ÉTAIT ÇA OU LA GRANDE TASSE.

- SOYEZ-EN MILLE FOIS REMERCIÉ, ME RÉPONDIT-IL AIMABLEMENT.

IL PARLAIT UN ANGLAIS UN PEU CHANTANT MAIS CORRECT À LA VIRGULE PRÈS. UN PEU REMIS DE SON ÉMOTION, ET CONSTATANT QUE J'ÉTAIS AUSSI TREMPÉ QUE LUI (FORCÉMENT), IL OFFRIT DE M'INVITER CHEZ LUI POUR ME CHANGER ET REPRENDRE DES FORCES DEVANT UN BON PETIT NID D'HIRONDELLES MAISON. MOI, LES BAINS, ÇA M'A TOUJOURS DONNÉ FAIM. ET DE PLUS, JE NE SAVAIS PAS OÙ PASSER LE RESTE DE LA NUIT. J'AI DONC ACCEPTÉ. ET COMME NOUS NOUS DIRIGIONS VERS EMPRESS PLACE AVEC L'ESPOIR D'Y TROUVER UN TAXI ATTARDÉ, IL S'EST CARESSÉ À NOUVEAU LE MENTON, D'UN AIR SONGEUR CETTE FOIS.

- LE DESTIN D'UN HOMME EST SOUVENT ÉTRANGE, MURMURA-T-IL COMME POUR LUI-MÊME. C'EST LA DEUXIÈME FOIS DANS MON EXISTENCE QU'UN COUP DE POING ME SAUVE LA VIE...

UNE HEURE ET DEMIE PLUS TARD, LAVÉ, RASÉ, POMPONNÉ ET REVÊTU D'UNE SOMPTUEUSE ROBE DE CHAMBRE DE SOIE SAUVAGE, JE ME RETROUVAIS EN COMPAGNIE DE MON HÔTE DANS UN VASTE SALON MEUBLÉ À L'OCCIDENTALE. UN VERRE DE WHISKY À LA MAIN, TANDIS QU'UNE MIGNONNE PETITE SERVANTE MAL RÉVEILLÉE DISPOSAIT LES PRÉMICES D'UN REPAS SUR UNE TABLE BASSE, J'ADMIRAIS LE DÉCOR QUI M'ENTOURAIT. TOUT, DANS CETTE MAISON BIEN SITUÉE PRÈS D'ORCHARD STREET, RESPIRAIT LE LUXE DISCRET DE L'AISANCE BIEN COMPRISE. TOUT, SAUF DEUX PHOTOGRAPHIES QUI ATTIRÈRENT IMMÉDIATEMENT MON ATTENTION, TANT LEUR BANALITÉ SEMBLAIT INCONGRUE DANS CET ENSEMBLE HARMONIEUX DE STATUETTES DE PRIX ET DE GRAVURES ANCIENNES.

LA PREMIÈRE, VISIBLEMENT UN CLICHÉ D'AMATEUR, MONTRAIT UN GROUPE DE VOYAGEURS EN TRAIN D'EMBARQUER DANS UN AVION DE LIGNE. ILS ÉTAIENT ACCUEILLIS, À LA PORTE DE L'APPAREIL, PAR UNE HÔTESSE AU SOURIRE DE RIGUEUR.

LA DEUXIÈME, PLUS SURPRENANTE ENCORE CAR ENCADRÉE AVEC SOIN, ÉTAIT UNE SIMPLE PHOTO DÉCOUPÉE DANS UN MAGAZINE. ELLE REPRÉSENTAIT UN GROS PLAN VIRIL ET SOURIANT DE JAMES GRAY*, UN ACTEUR AMÉRICAIN QUI AVAIT DISPARU QUELQUE TEMPS AUPARAVANT DANS UN ACCIDENT D'AVION AU COEUR DE LA FORÊT AMAZONIENNE. LE PORTRAIT N'ÉTAIT MÊME PAS DÉDICACÉ ET JE ME PERDAIS EN CONJECTURES, COMME ON DIT, SUR LA RAISON DE SA PRÉSENCE AU MUR DE MON CHINOIS. CELUI-CI AVAIT SUIVI MON REGARD ET REMARQUÉ MON ÉTONNEMENT.

- NE CROYEZ PAS QUE JE SOIS UN ADMIRATEUR INCONDITIONNEL DES FILMS DE JAMES GRAY, SOURIT-IL. IL SE TROUVE SIMPLEMENT QUE C'EST LUI L'HOMME QUI M'A DONNÉ LE COUP DE POING DONT JE VOUS AI PARLÉ.

JE LANÇAI UN NOUVEAU COUP D'OEIL À LA PREMIÈRE PHOTO, CELLE DES PASSAGERS À L'EMBARQUEMENT. L'AVION ÉTAIT UN APPAREIL DE LA CORAIR, LA COMPAGNIE NATIONALE DU CORUGUAY. DU COUP, JE N'EUS PAS TROP DE PEINE À FAIRE LA LIAISON.

LES JOURNAUX AVAIENT BEAUCOUP PARLÉ DE L'ACCIDENT, À L'ÉPOQUE. À CAUSE DE GRAY, BIEN SÛR. ET AUSSI PARCE QU'UN CÉLÈBRE PIANISTE AINSI QUE LE JEUNE FILS D'UN GROS INDUSTRIEL FRANÇAIS FAISAIENT PARTIE DES QUELQUES RESCAPÉS. CEPENDANT, POUR DES RAISONS MAL DÉFINIES, AUCUN DE CES RESCAPÉS N'AVAIT PU, OU VOULU, EXPLIQUER CLAIREMENT CE QUI ÉTAIT ARRIVÉ DURANT LES QUINZE JOURS QU'ILS AVAIENT PASSÉS DANS LA JUNGLE. ET LA PRESSE EN AVAIT ÉTÉ RÉDUITE, COMME DE COUTUME DANS CES CAS-LÀ, À SE LANCER DANS LES SUPPOSITIONS TOUTES PLUS FANTAISISTES LES UNES QUE LES AUTRES.

- VOUS FAISIEZ PARTIE DES SURVIVANTS, N'EST-CE PAS ?

REDEVENU GRAVE, IL HOCHA LA TÊTE SANS MOT DIRE.

- JE SUPPOSE QUE CELA A DÛ ÊTRE PLUTÔT... PÉNIBLE. MAIS COMMENT SE FAIT-IL QU'AUCUN D'ENTRE VOUS...

* Pour des raisons évidentes, j'utilise ici les noms fictifs que Van Hamme a donnés ultérieurement aux personnages concernés.

- ... N'AIT RACONTÉ EN DÉTAIL CE QUI S'ÉTAIT PASSÉ ? PARCE QUE LA SIMPLE VÉRITÉ N'EST PAS TOUJOURS ACCEPTABLE, MR. WINCH. SOUVENEZ-VOUS DE LA MANIÈRE DONT L'OPINION A ACCUEILLI LE RÉCIT DES RESCAPÉS DE CET AUTRE ACCIDENT D'AVION QUI S'ÉTAIT PRODUIT DANS LA CORDILLÈRE DES ANDES.

IL S'INTERROMPIT UN MOMENT POUR M'INVITER DU GESTE À PRENDRE PLACE À LA TABLE OÙ NOUS ATTENDAIT LE REPAS.

- POURTANT, POURSUIVIT-IL EN S'ASSEYANT À SON TOUR, MON INTUITION ME DIT QUE VOUS, VOUS POURRIEZ COMPRENDRE CETTE VÉRITÉ. NOUS NE NOUS CONNAISSONS PAS MAIS JE SENS QUE VOUS N'ÊTES PAS UN HOMME COMME LES AUTRES, MR. WINCH. EN OUTRE, J'AI CONTRACTÉ UNE DETTE MAJEURE À VOTRE ÉGARD. ALORS, SI VOUS AVEZ LA PATIENCE DE M'ÉCOUTER, VOUS ACCEPTEREZ PEUT-ÊTRE CETTE BIEN MODESTE MANIÈRE DE M'EFFORCER DE L'ACQUITTER.

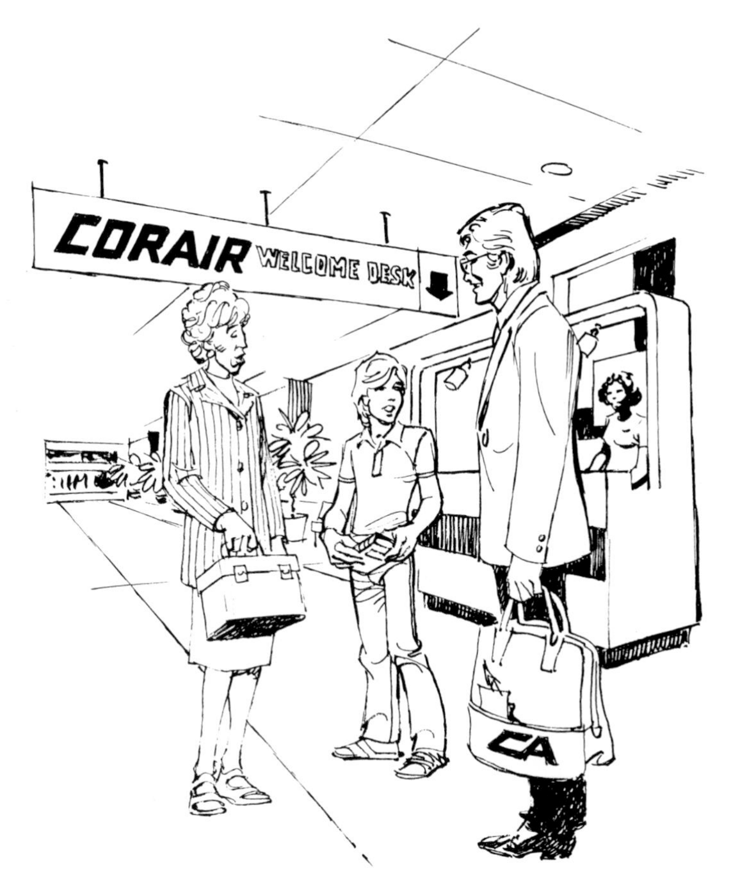

ET C'EST AINSI QUE TAN SEK TOH M'A RACONTÉ SON HISTOIRE.

C'EST CETTE HISTOIRE QUE J'AI RÉPÉTÉE MOT POUR MOT À VAN HAMME DANS UN PETIT BAR DE PUERTO LIMON, CET EX-PRINCIPAL PORT BANANIER D'AMÉRIQUE CENTRALE QUI POURRIT MOLLEMENT AU SOLEIL DE LA CÔTE CARAÏBE DU COSTA RICA.

JE CONNAIS VAN HAMME DE FORT LONGUE DATE, POUR AINSI DIRE DEPUIS MA NAISSANCE. JE L'AIME BIEN, C'EST PAS ÇA, MAIS CE QUI ME TUE AVEC LUI, C'EST QUE CHAQUE FOIS QUE JE LE RENCONTRE, À ISTANBUL, MANILLE, NEW YORK OU AILLEURS, IL ESSAIE DE M'EXTORQUER L'UN OU L'AUTRE SOUVENIR D'AVENTURE POUR ALIMENTER SES FICHUS ROMANS. ET MOI, BONNE POMME, JE ME LAISSE AVOIR À TOUS LES COUPS.

CETTE FOIS-CI, POUR CHANGER, IL S'AGISSAIT D'UN SCÉNARIO.

- CINÉMA ?

- BANDE DESSINÉE. AVEC DANY. TU CONNAIS ?

SANS ÊTRE UN SUPER-FAN DE BD, J'AVAIS DÉJÀ LU DES ALBUMS DE DANY. DES HISTOIRES PLUTÔT DINGUES AVEC CE PETIT GARS COIFFÉ D'UN CANOTIER DONT J'AI OUBLIÉ LE NOM. VACHEMENT BIEN DESSINÉES, SOIT DIT EN PASSANT.

- TU TE LANCES DANS L'HUMOUR, MAINTENANT ? AI-JE RICANÉ. LES MONTHY PYTHON N'ONT PLUS QU'À BIEN S'ACCROCHER.

- CRÉTIN, GROGNA-T-IL AIMABLEMENT. DANY VOUDRAIT ESSAYER UN NOUVEAU STYLE DE DESSIN, JUSTEMENT. ET MOI, J'EN AI UN PEU MARRE DE CES SÉRIES OÙ LES BONS GAGNENT TOUJOURS À LA FIN. NOUS VOUDRIONS FAIRE QUELQUE CHOSE DE DIFFÉRENT. UNE HISTOIRE SANS HÉROS, EN QUELQUE SORTE. TU N'AURAIS PAS UNE BONNE IDÉE POUR MOI, MON PETIT LARGO ?

ET LE PETIT LARGO S'EST LAISSÉ ATTENDRIR UNE FOIS DE PLUS. VOILÀ POURQUOI JE LUI AI RACONTÉ L'HISTOIRE DE MON CHINOIS.

- OUAIS, DAIGNA DIRE VAN HAMME LORQUE J'EUS FINI. ÇA POURRAIT PEUT-ÊTRE FAIRE UN BON SCÉNARIO, C'EST VRAI. MAIS IL ME FAUDRAIT TOUT DE MÊME UN CERTAIN NOMBRE DE DÉTAILS SUPPLÉMENTAIRES, TU NE TROUVES PAS ?

IL EST PAS CROYABLE, CE MEC ! ET EN PLUS, VOUS POUVEZ PARIER SANS RISQUES QU'IL ALLAIT ME LAISSER LA NOTE DE BAR SUR LE DOS.

- TU PEUX TOUJOURS ALLER DEMANDER UN COMPLÉMENT D'INFORMATIONS À TAN SEK TOH, SI ÇA T'AMUSE. MAIS AUTANT TE PRÉVENIR QUE SINGAPOUR, C'EST PAS PRÉCISÉMENT LA PORTE À CÔTÉ.

- SINGAPOUR, NON. MAIS PANAMA, OUI. TU NE M'AS PAS DIT QU'UNE DES RESCAPÉES Y ENSEIGNAIT LES MATHS À L'UNIVERSITÉ ? CETTE FILLE AU NOM IMPOSSIBLE, MARIA DOS SANTOS QUELQUE CHOSE... ON POURRAIT PEUT-ÊTRE ESSAYER DE LA DÉNICHER ?

JE L'AI REGARDÉ. UN PEU COMME VOUS REGARDEZ VOTRE BELLE-MÈRE VOUS ANNONCER D'UN AIR DÉGAGÉ QU'ELLE A FLANQUÉ VOTRE NOUVELLE PORSCHE

CONTRE UN PLATANE.

- POURQUOI PAS ? AI-JE SOUPIRÉ.

PANAMA CITY N'EST PAS TOUT À FAIT CE QUE J'APPELLERAIS UN COIN DE TOUT REPOS. CHULIA STREET, À CÔTÉ, FERAIT PRESQUE FIGURE D'OUVROIR POUR JEUNES FILLES À MARIER. ET EN PRIME, ON Y JOUIT TOUTE L'ANNÉE D'UNE CHALEUR À FAIRE FONDRE UN CACTUS. BREF, C'EST SANS TOURISME SUPERFLU QUE NOUS AVONS FONCÉ DE L'AÉROPORT AU QUARTIER DE LA CRESTA OÙ SE TROUVE L'UNIVERSITÉ.

POUR Y APPRENDRE QUE MARIA DOS SANTOS AZAR AVAIT DÉMISSIONNÉ DE SON POSTE SIX MOIS AUPARAVANT. SANS DONNER D'EXPLICATIONS.

HEUREUSEMENT, QUELQUES DOLLARS BIEN PLACÉS DANS LE CREUX DE LA MAIN D'UN APPARITEUR NOUS ONT TOUT DE MÊME PERMIS D'OBTENIR SON ADRESSE.

C'ÉTAIT DANS UN IMMEUBLE-DORTOIR DU PUEBLO NUEVO, DANS LA PÉRIPHÉRIE NORD. APPARTEMENT 6, COULOIR C, 8E ÉTAGE, AILE GAUCHE. UNE JOLIE FILLE, L'AIR EFFRAYÉ, A ENTROUVERT LA PORTE.

- MARIA DOS SANTOS AZAR ?

- ELLE N'EST PAS LÀ, SEÑORES.

VAN HAMME, QUI A DÛ ÊTRE REPRÉSENTANT EN ASPIRATEURS DANS UNE AUTRE VIE, AVAIT DÉJÀ AVANCÉ LE PIED POUR EMPÊCHER LA PORTE DE SE REFERMER.

-NOUS SOMMES VENUS DE TRÈS LOIN POUR LA VOIR, SEÑORITA.

- ELLE... ELLE EST PARTIE.

- ET QUAND DOIT-ELLE REVENIR ?

- JE NE SAIS PAS, SEÑORES.

LA PAUVRE FILLE PARAISSAIT ÊTRE À DEUX DOIGTS D'APPELER POLICE SECOURS. C'EST ALORS QU'UNE PETITE AMPOULE DE 15 WATTS S'EST ALLUMÉE QUELQUE PART AU FOND DE MA MÉMOIRE.

- VOUS ÊTES ELENA VASQUEZ, N'EST-CE PAS ? AI-JE DEMANDÉ DOUCEMENT. L'HÔTESSE DE CET AVION DE LA CORAIR QUI S'EST ÉCRASÉ AU BRÉSIL.

ELLE M'A DÉVISAGÉ COMME SI J'ÉTAIS L'ÉVÊQUE DE PANAMA EN PERSONNE VENU LUI ANNONCER SA CANONISATION.

- CO... COMMENT LE SAVEZ-VOUS ?

- PARCE QUE JE VOUS AI VUE SUR UNE PHOTO, CHEZ UN DE NOS AMIS COMMUNS.

ELENA NOUS A RACONTÉ L'HISTOIRE QUE NOUS CONNAISSIONS DÉJÀ. MAIS DIFFÉREMMENT, BIEN SÛR. VUE SOUS SON ANGLE À ELLE. AVEC SA SENSIBILITÉ COUTUMIÈRE, VAN HAMME PRENAIT FROIDEMENT DES NOTES.

- APRÈS NOTRE SAUVETAGE, JE N'AI PLUS VOULU RENTRER AU CORUGUAY, CONCLUT-ELLE. J'AVAIS PEUR DE... DE CE QUE J'AVAIS APPRIS SUR LE GÉNÉRAL LARGA. MARIA M'A PROPOSÉ DE VENIR VIVRE CHEZ ELLE, À PANAMA CITY. J'AI ACCEPTÉ. DEPUIS, J'HABITE ICI.

- ET MARIA ?

- ELLE AVAIT TOUJOURS GARDÉ L'ESPOIR DE MONTER UNE EXPÉDITION POUR RETROUVER MR. GRAY. C'ÉTAIT DEVENU CHEZ ELLE UNE VÉRITABLE IDÉE FIXE, ET ELLE ÉTAIT RESTÉE EN CONTACT AVEC WILLEMSEN QUI LUI AVAIT PROMIS DE L'AIDER. IL Y A UN PEU PLUS DE SIX MOIS, WILLEMSEN EST ARRIVÉ ICI. IL AVAIT, JE NE SAIS COMMENT, EXTORQUÉ DE L'ARGENT À CE PIANISTE QUI ÉTAIT AVEC NOUS, RAFALOWSKI. ASSEZ POUR FINANCER L'EXPÉDITION, DISAIT-IL.

- ET ILS SONT REPARTIS TOUS LES DEUX EN AMAZONIE, C'EST ÇA ?

- OUI. J'AI SUPPLIÉ MARIA DE RÉFLÉCHIR, D'ADMETTRE QU'ELLE N'AVAIT PAS UNE CHANCE SUR MILLE DE RÉUSSIR. MAIS ELLE N'A RIEN VOULU ENTENDRE. ELLE A DÉMISSIONNÉ DE L'UNIVERSITÉ ET ILS SONT PARTIS. MARIA AIMAIT VRAIMENT GRAY, VOUS COMPRENEZ.

- ET DEPUIS ?

ELENA BAISSA LA TÊTE, UNE GROSSE LARME SOUS LA PAUPIÈRE.

- DEPUIS, RIEN. JE N'AI PLUS JAMAIS ENTENDU PARLER D'EUX.

MOI NON PLUS. NI PERSONNE, D'AILLEURS.

UN PEU DE TEMPS A PASSÉ. JE ME SUIS RETROUVÉ À LA TÊTE D'UN TRUST ASSEZ GIGANTESQUE, LE GROUPE W, CE QUI M'A VALU PAS MAL D'AUTRES CHATS À FOUETTER. DE LEUR CÔTÉ, DANY ET VAN HAMME ONT PUBLIÉ LEUR HISTOIRE SANS HÉROS ET M'EN ONT, BIEN ENTENDU, ENVOYÉ UN EXEMPLAIRE. J'AI FORT APPRÉCIÉ LA NOUVELLE MANIÈRE DE DANY, QUE JE N'AI JAMAIS EU L'OCCASION DE RENCONTRER, MAIS DONT LE TALENT ET LA SENSIBILITÉ DE DESSIN ME DISENT TOUT LE PLAISIR QUE J'AURAI À LE CONNAÎTRE UN JOUR.

COMME TOUT LE MONDE, J'AI APPRIS PAR LES JOURNAUX LA MORT ACCIDENTELLE DU PÈRE DE LAURENT DRAILLAC, LE TRIOMPHE DE RAFALOWSKI À LA PHILARMONIE DE BERLIN ET LA NOMINATION DE TAN SEK TOH COMME REPRÉSENTANT DE SINGAPOUR AUPRÈS DES NATIONS-UNIES. J'IGNORE TOTALEMENT, PAR CONTRE, CE QUE SONT DEVENUS MISS TAYLOR ET LE LIEUTENANT BENITÉZ. J'AI ÉCRIT UNE FOIS À ELENA VASQUEZ, MAIS LA LETTRE M'EST REVENUE AVEC LA MENTION "N'HABITE PLUS À CETTE ADRESSE".

ET J'AI TOURNÉ LA PAGE. COMME TANT D'AUTRES PAGES AVANT ELLE.

CETTE PAGE M'EST CEPENDANT REVENUE BRIÈVEMENT EN MÉMOIRE, IL Y A DEUX MOIS À PEINE, ALORS QUE JE ME TROUVAIS POUR AFFAIRES À MANAUS, LA PRINCIPALE VILLE D'AMAZONIE CENTRALE.

LORS D'UN COCKTAIL, J'ÉCOUTAIS UN CINÉASTE ME RACONTER SON SÉJOUR CHEZ LES INDIENS NUARUAQUES. CEUX-CI LUI AVAIENT PARLÉ D'UNE AUTRE TRIBU, SANS DOUTE DES NAMBIQUARAS, QUI VIVAIT DANS UNE PARTIE ENCORE INEXPLORÉE DE L'IMMENSE FORÊT ET DONT LES LÉGENDES DE JUNGLE DISAIENT QU'ELLE AVAIT ACCUEILLI UN GRAND DIEU BLANC VENU DU CIEL.

COMME VOUS QUI LISEZ CES LIGNES, JE N'AI PAS PU M'EMPÊCHER, SUR LE MOMENT, DE SONGER À GRAY. MAIS J'AI TRÈS VITE CHASSÉ DE MON ESPRIT CETTE IDÉE IMPOSSIBLE. IL S'AGIT PROBABLEMENT D'UNE AUTRE HISTOIRE.

LARGO WINCH

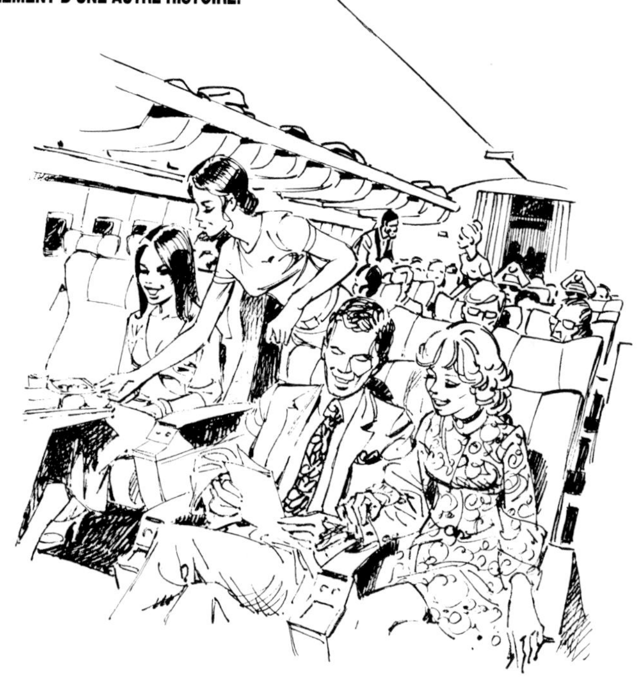

AH